Gilles Tibo

Illustrateur depuis plus de vingt ans, Gilles Tibo est reconnu pour ses superbes albums, dont ceux de la série *Simon*. Enthousiasmé par l'aventure de l'écriture, il a créé d'autres personnages. Il s'est laissé charmer par ces nouveaux héros qui prenaient vie, page après page. Pour notre plus grand bonheur, l'aventure de Noémie est devenue son premier roman.

Louise-Andrée Laliberté

Quand elle était petite, pour s'amuser, elle inventait toutes sortes d'histoires qui faisaient vivre les images. Maintenant qu'elle a grandi, elle dessine des images qui nous racontent des histoires. Louise-Andrée Laliberté crée avec bonne humeur des images, des décors ou des costumes pour les musées et les compagnies de publicité ou de théâtre. Tant au Canada qu'aux États-Unis, ses illustrations ajoutent de la vie aux livres spécialisés et de la couleur aux ouvrages scolaires ou littéraires. Elle illustre pour vous la série des Noémie.

Série Noémie

Noémie a sept ans et trois quarts. Avec Madame Lumbago, sa vieille gardienne qui est aussi sa voisine et sa complice, elle apprend à grandir. Lors d'événements pleins de rebondissements et de mille péripéties, elle découvre la tendresse, la complicité, l'amitié, la persévérance et la mort aussi. Coup de cœur garanti !

Noémie

Les Souliers
magiques

Données de catalogage avant publication (Canada)

Tibo, Gilles

    Les Souliers magiques

    (Bilbo jeunesse 100)

    (Noémie ; 11)

    ISBN 2-7644-0119-1

    I. Titre. II. Collection. III. Collection :

    Tibo, Gilles, 1951-   . Noémie; 11.

PS8589.I26S68 2001   jC843'.54   C2001-941130-8
PS9589.I26S68 2001
PZ23.T52So 2001

Les Éditions Québec Amérique bénéficient du programme de subvention globale du Conseil des Arts du Canada. Elles tiennent également à remercier la SODEC pour son appui financier.

Le Conseil des Arts | The Canada Council
du Canada | for the Arts

Nous reconnaissons l'aide financière du gouvernement du Canada par l'entremise du Programme d'aide au développement de l'industrie de l'édition (PADIÉ) pour nos activités d'édition.

Diffusion :
Prologue inc.
1650, boul. Lionel-Bertrand
Boisbriand (Québec) J7H 1N7
Canada
Téléphone : 1-800-363-2864
Télécopieur : 1-800-361-8088
prologue@prologue.ca

Dépôt légal : 3e trimestre 2001
Bibliothèque nationale du Québec
Bibliothèque nationale du Canada

Révision linguistique : Michèle Marineau
Montage : André Vallée

Noémie
Les Souliers magiques

GILLES TIBO

ILLUSTRATIONS : LOUISE-ANDRÉE LALIBERTÉ

DU MÊME AUTEUR

NOÉMIE 1 - LE SECRET DE MADAME LUMBAGO, coll. Bilbo,
Québec Amérique Jeunesse, 1996.
• **Prix du Gouverneur général du Canada 1996**

NOÉMIE 2 - L'INCROYABLE JOURNÉE, coll. Bilbo,
Québec Amérique Jeunesse, 1996.

NOÉMIE 3 - LA CLÉ DE L'ÉNIGME, coll. Bilbo,
Québec Amérique Jeunesse, 1997.

NOÉMIE 4 - LES SEPT VÉRITÉS, coll. Bilbo,
Québec Amérique Jeunesse, 1997.

LES CAUCHEMARS DU PETIT GÉANT,
coll. Mini-Bilbo, Québec Amérique Jeunesse, 1997.

L'HIVER DU PETIT GÉANT, coll. Mini-Bilbo,
Québec Amérique Jeunesse, 1997.

NOÉMIE 5 - ALBERT AUX GRANDES OREILLES, coll. Bilbo,
Québec Amérique Jeunesse, 1998.

NOÉMIE 6 - LE CHÂTEAU DE GLACE, coll. Bilbo,
Québec Amérique Jeunesse, 1998.

LA FUSÉE DU PETIT GÉANT, coll. Mini-Bilbo,
Québec Amérique Jeunesse, 1998.

LES VOYAGES DU PETIT GÉANT, coll. Mini-Bilbo,
Québec Amérique Jeunesse, 1998.

LA NUIT ROUGE, coll. Titan,
Québec Amérique Jeunesse, 1998.

NOÉMIE 7 - LE JARDIN ZOOLOGIQUE, coll. Bilbo,
Québec Amérique Jeunesse, 1999.

NOÉMIE 8 - LA NUIT DES HORREURS, coll. Bilbo,
Québec Amérique Jeunesse, 1999.

LA PLANÈTE DU PETIT GÉANT, coll. Mini-Bilbo,
Québec Amérique Jeunesse, 1999.

NOÉMIE 9 - ADIEU, GRAND-MAMAN, coll. Bilbo,
Québec Amérique Jeunesse, 2000.

NOÉMIE 10 - LA BOÎTE MYSTÉRIEUSE coll. Bilbo,
Québec Amérique Jeunesse, 2000.

LA NUIT BLANCHE DU PETIT GÉANT, coll. Mini-Bilbo,
Québec Amérique Jeunesse, 2000.

L'ORAGE DU PETIT GÉANT, coll. Mini-Bilbo,
Québec Amérique Jeunesse, 2001.

LE MANGEUR DE PIERRES, roman adulte,
Québec Amérique, 2001.

à Ariane Jutras d'Abitibi,
la meilleure amie de Noémie.

-1-

Les records

Ces temps-ci, j'ai tellement d'énergie que j'ai de la difficulté à rester immobile plus de deux secondes. Je sursaute, je bouge, je gigote comme une barbotte.

Je suis tellement rapide que je pourrais gagner la course de la fille qui sort le plus vite de son lit. Je m'habille tellement vite que, là aussi, je pourrais devenir une championne. Puis, je mange mes céréales à une telle vitesse que mes parents n'arrêtent pas de me répéter :

—Noémie, mange moins vite… Noémie, calme-toi… Noémie, respire par le nez…

Impossible de me calmer. Je ramasse mon sac d'école à la vitesse de la lumière, j'attache les lacets de mes vieilles chaussures de sport et je quitte la maison en lançant :

—Bonne journée! À ce soir!

Rendue dehors, je regarde ma montre. En trois secondes, je gravis l'escalier qui mène chez grand-maman. J'entre dans son logement en deux secondes. Je l'embrasse pendant vingt-sept longues secondes. Je lui répète que je l'aime pendant plus d'une minute. Ensuite, je m'élance vers la porte et redescends l'escalier à toute vitesse.

Une fois sur le trottoir, je me prépare mentalement. Ça veut dire que je fais comme les

athlètes que j'ai vus à la télé-vision. J'essaie de visualiser ma course avant de la faire. Je pense à tous les points straté-giques, à tous les points tech-niques, dont le plus important est : mes vieux souliers sont-ils bien lacés?

Ensuite, je regarde ma montre. Un ressort se déclenche dans mon corps, et je me mets à courir en direction de l'école.

Je cours tellement vite, je suis tellement concentrée que je ne m'arrête même pas pour parler à mes amies. Je cours, je bondis, je vole par-dessus le trottoir.

J'arrive à l'école en sueur. Je regarde ma montre. YAHOU! Je viens de battre mon record personnel : une minute vingt-sept secondes. Cinq secondes

de moins qu'hier, dix de moins qu'avant-hier, et quinze de moins qu'avant-avant-hier.

En trois secondes, j'entre dans la cour de récréation. J'y reste six minutes. Puis, la cloche sonne, et je me rends à ma classe en une minute, exactement. Si j'avais de belles chaussures neuves, je serais encore plus rapide...

Dans le cours de français, je profite d'une période libre pour écrire la liste de mes records personnels. Au bout de trente-cinq minutes, il y en a trois pages pleines. En voici quelques-uns :

Record de vitesse pour tailler un crayon.

Record de vitesse pour effacer ce qui est écrit au tableau.

Record de vitesse pour sortir ma gomme à effacer, enlever

un mot et remettre ma gomme dans mon sac.

Record de vitesse pour sortir un cahier et l'ouvrir à la bonne page.

Record personnel pour lancer des boulettes de papier dans la corbeille.

Record de vitesse pour savoir si le professeur est de bonne humeur.

Etc.

Je profite du cours de mathématiques pour faire de savants calculs comme celui-ci : si je cours de la classe jusqu'au trottoir en douze secondes, et du trottoir à chez moi en une minute vingt-sept secondes, combien de temps me prendrait l'aller-retour?

Autre problème intéressant : si je mange une pomme en un temps record d'une minute quatre secondes, en combien de temps devrais-je la manger pour abaisser mon record de douze secondes?

Lorsque j'ai résolu tous ces problèmes, je regarde le plafond en rongeant mon crayon. Ça veut dire que je réfléchis très fort. La vie est remplie de records à battre. J'en trouve de nouveaux et je les ajoute à ma liste : record de vitesse pour embrasser mes parents, pour embrasser ma grand-mère. Record pour m'endormir le plus rapidement possible. Record du meilleur rêve. Record de la quantité de savon dans le bain. Et le plus impressionnant d'entre tous les records : le record des records réussis en un temps record!

J'ouvre un autre cahier. J'écris une page complète de records de lenteur : record de lenteur pour faire le ménage de ma chambre. Record de lenteur pour éteindre la télévision lorsque mes parents me le demandent. Record de lenteur pour sortir du bain, pour enfiler mon pyjama, pour me coucher...

Soudain, la cloche de l'école sonne. Toute la classe se dirige vers mon endroit préféré pour battre des records : le gymnase. J'y détiens le record du plus grand nombre de culbutes, du plus grand nombre de ballons lancés dans le panier, du plus grand nombre de buts comptés...

▲ ▲ ▲

À la fin de la journée, je fais un petit calcul en regardant mes cahiers. J'ai égalé douze records et j'en ai battu plus de vingt, dont celui-ci : j'ai battu mon record de fautes d'orthographe. Alors, je dois rester dans la classe pour corriger toutes mes fautes.

Après vingt-quatre minutes, ce qui est un véritable record, j'ai corrigé toutes mes fautes d'orthographe. Je me lève d'un bond, donne ma copie à mon professeur et quitte l'école. Ouf! Géraldine et Mélinda m'attendent sur le perron. Je cours vers elles en leur criant :

—Merci de m'avoir attendue! J'espère que vous êtes en forme!

—En forme de quoi? demande Géraldine en riant.

—En forme de championnes, répond Mélinda en montrant ses nouveaux souliers, tout neufs, tout brillants.

-2-

La course

Toutes les trois, Mélinda, Géraldine et moi, nous nous plaçons en position de départ sur le perron de l'école. C'est Géraldine qui fait le décompte :

— Vous êtes prêtes, les filles? La première rendue au dépanneur est la championne... CINQ... QUATRE... TROIS...

Soudain, Mathieu Landry-Brunelle s'approche en demandant :

— Qu'est-ce que vous faites?

— On se prépare à faire une course, dit Mélinda.

— Une course de filles, ajoute Géraldine en terminant

le décompte. DEUX… UN… PARTEZ!

Nous partons toutes les trois comme des bombes. Sans nous demander la permission de participer à la course, Mathieu Landry-Brunelle se lance à notre poursuite et nous rattrape.

Nous cessons de courir. Mélinda, tout essoufflée, dit à Mathieu :

—Laisse-nous tranquilles! Personne ne t'a invité à courir avec nous!

—J'ai le droit de courir où je veux et avec qui je veux!

—C'est une course privée! crie Géraldine en sautillant sur place.

—D'accord, d'accord! Faites-la toute seule, votre course de filles!

—CINQ... QUATRE...
TROIS... DEUX... UN... PAR-
TEZ! crie Mélinda.

Nous prenons toutes les
trois la poudre d'escampette.
Ça veut dire que nous courons
le plus rapidement possible.

Rendues au coin de la rue,
nous tournons à droite. Moi, je
fais exprès pour courir derrière
les autres. C'est une tactique
que j'ai déjà vue dans un film.
Il s'agit de courir un peu en
retrait et d'attendre que les
autres s'essoufflent. En même
temps, on regarde leur style et
on leur emprunte des trucs.
Mais là, il n'y a aucun style
et aucun truc à emprunter.
Géraldine court comme un
canard en levant les genoux et
en lançant ses pieds de chaque
côté. Melinda court comme
un kangourou, en sautant trop

haut, comme si elle voulait courir dans les airs.

Je suis certaine de gagner cette course. Je regarde mes amies s'essouffler et j'attends le moment stratégique pour attaquer.

Soudain, j'entends quelqu'un s'approcher derrière nous. Je tourne la tête et j'aperçois Mathieu Landry-Brunelle. En souriant, il me dit :

— Avez-vous commencé à courir?

Je sens que je vais m'énerver. J'accélère. En dépassant mes amies, je leur jette un coup d'œil. Elles sont rouges comme des tomates. Elles respirent tellement vite qu'elles vont sûrement exploser!

Mathieu Landry-Brunelle est à ma hauteur. Nous courons côte à côte. Il n'arrête pas de sourire. Je connais cette tactique. On appelle ça la «guerre psychologique». Je le regarde en souriant moi aussi. Il commence à siffler une chanson. En faisant semblant de rien, je siffle moi aussi. Puis, je me mets à chanter pour donner l'impression que je ne me force même pas.

Pour m'impressionner, Mathieu accélère le rythme, lève les bras et commence à tourner sur lui-même. Il m'énerve! Il m'énerve! Je lance mes deux bras dans les airs et je fais comme si je dansais en courant. Je souris, je cours, je danse et je chante en même temps.

J'ai une crampe à l'estomac, mais je ne le montre pas. Je continue de sourire. J'essaie de respirer le plus profondément

possible, mais la crampe grossit, grossit, grossit. Si ça continue comme ça, je vais m'écrouler sur le trottoir.

Je regarde Mathieu. Il sourit, lui aussi, mais il est couvert de sueur. Ses cheveux sont mouillés. Il respire avec beaucoup de difficulté. Moi, je n'en peux plus. Mes poumons sont en feu, mes pieds brûlent et mes genoux craquent... mais je continue de sourire.

Soudain, j'aperçois le dépanneur au coin de la rue. Je sens le parfum de la victoire me chatouiller les narines. Je reçois une décharge de dynamite dans le sang. J'accélère en fermant les paupières. Je deviens une championne. Mes vieux souliers de sport se transforment en beaux souliers hyperperformants. Les maisons disparaissent pour devenir un stade olympique. Le trottoir se transforme en piste de course. Les passants se multiplient et remplissent les gradins. Les caméras de télévision envoient mon image partout sur la planète. Les ovations et les applaudissements me soulèvent de terre. J'entends mon nom répété mille fois : NOÉMIE! NOÉMIE! NOÉMIE! J'imagine déjà les médailles d'or accrochées à mon cou. J'ouvre les yeux. Le dépanneur n'est plus qu'à quelques mètres.

J'arrive la première devant la porte du dépanneur. Je lève les bras en signe de victoire et je m'arrête en haletant. Mon cœur résonne entre mes tempes et jusqu'au bout de mes orteils. Mathieu passe devant moi à toute allure. Il s'arrête un peu plus loin en demandant :

—Pourquoi t'arrêtes-tu? Je commençais juste à me réchauffer, moi...

Je suis tellement essoufflée que je suis incapable de répondre. J'attends quelques secondes en regardant mes deux amies, qui ne courent plus. Elles s'approchent en marchant et en parlant.

Je m'assois sur les marches du dépanneur et, encore tout essoufflée, je les regarde en disant fièrement :

—Mesdames et messieurs... Je suis la championne du monde! J'ai couru de l'école jusqu'au dépanneur en... en...

Et là, je m'aperçois que j'ai oublié de compter les minutes, les secondes, les centièmes et les millièmes de seconde.

—De toute façon, ça ne compte pas, répond Mélinda. Mes souliers étaient attachés trop serré.

—Et moi, mon sac à dos était trop lourd, ajoute Géraldine.

—Et moi, je ne savais même pas que la course se terminait au dépanneur, soupire Mathieu Landry-Brunelle en s'éloignant.

Nous le regardons toutes les trois en grimaçant. Ça veut dire : personne ne t'a invité, tu peux repartir et te rendre au bout du monde si ça te plaît. Nous, on s'en fout complètement.

Soudain, la porte du dépanneur s'ouvre. Je vois apparaître grand-maman, ma belle grand-maman Lumbago. Elle me regarde et demande :

—Noémie, que fais-tu là ?

—Je… heu… je viens de gagner une course… Et vous?

—J'ai acheté un contenant de lait… pour ta collation.

Je me blottis contre elle :

—Vous êtes vraiment ma grand-mère préférée…

Puis, subtilement, j'ajoute :

—Nous avons couru comme des gazelles, nous avons eu

chaud, nous avons sué à grosses gouttes… Nous avons aussi soif que si nous avions traversé le désert du Sahara pendant des mois et même des années…

—Ça va, ça va, j'ai compris, soupire grand-maman avec un petit sourire en coin.

Nous entrons toutes les quatre dans le dépanneur. Mes amies et moi, nous voulons acheter du jus jaune à saveur de citron, des bonbons roses et des croustilles au ketchup. Mais grand-maman dit :

—Mon Dieu Seigneur, voilà des choses que les vrais athlètes ne consomment jamais…

Nous sortons du dépanneur en emportant chacune une bouteille d'eau de source qui ne goûte rien…

-3-

Retour
à la maison

Après avoir bu d'une traite ma bouteille d'eau de source qui ne goûte rien, je quitte mes deux amies.

—Salut, Géraldine! À bientôt, Mélinda!

Puis, je prends le contenant de lait que grand-maman a acheté et je le place dans mon sac à dos. Ensuite, je glisse mes doigts dans la main chaude de ma grand-mère préférée. En silence, nous marchons lentement vers la maison. Grand-maman n'avance pas vite, on dirait un escargot.

—Grand-maman, dans votre vie… avez-vous déjà battu des records?

—Des records de quoi?

—De n'importe quoi!

—Je… heu… je n'ai jamais été compétitive… Les records, ça ne m'intéresse pas…

Je ne réponds rien pour ne pas lui faire de la peine, mais je suis certaine qu'elle pourrait gagner un concours de lenteur pour rapporter du lait, un concours de lenteur pour attacher ses souliers, et aussi un concours de lenteur pour boire son thé!

Soudain, il me vient une idée :

—Grand-maman, vous voyez cet arbre, là, juste devant nous?

—Bien sûr, je ne suis pas aveugle!

—La première qui touche à l'arbre est une championne!

Grand-maman ne répond rien. Elle soupire, fixe le ciel, tourne la tête, regarde par terre. On dirait qu'elle ralentit. Alors, moi aussi, je marche plus lentement. C'est vrai, elle n'est vraiment pas compéti…

Soudain, elle lâche ma main, fait trois petites enjambées en vitesse, touche à l'arbre et s'écrie :

—J'ai gagné! J'ai gagné!

Je n'en reviens pas.

—Bravo, grand-maman, vous êtes la meilleure! Voyez-vous le sac de poubelle, là, juste devant vous?

—Là, Noémie, il ne faudrait pas exagérer...

En disant cela, grand-maman se précipite vers le sac. Je n'ai même pas le temps de réagir.

Elle touche au sac en s'écriant encore :

— J'ai gagné! J'ai gagné...

Puis elle lève les bras en dansant et en tournant sur elle-même. Sans faire exprès, elle heurte ses verres fumées avec la manche de son chandail. Les lunettes virevoltent dans les airs et tombent dans la boue.

Je ramasse les lunettes et les donne à grand-maman.

— Il me semblait que vous n'étiez pas compétitive, vous?

En souriant et en tentant d'essuyer ses verres avec un mouchoir, elle répond :

— Hi... Hi... le score est de deux à zéro pour moi...

Je n'en reviens pas. Elle replace ses lunettes encore un peu barbouillées, les ajuste sur son nez et me prend par la main.

— Grand-maman, voyez-vous l'escalier qui monte chez vous?

— Non, je ne le vois pas... mes lunettes sont trop sales.

Nous approchons encore un peu. Elle soupire :

— C'est épouvantable comme je ne vois rien. Où sommes-nous rendues?

— Nous sommes presque rendues chez vous...

Soudain, grand-maman s'élance vers l'escalier. Je bondis à mon tour et la dépasse, mais, juste au moment où je vais toucher à la rampe de l'escalier, grand-maman me retient par l'épaule, passe devant moi, touche à la rampe et s'écrie :

— J'ai gagné! J'ai gagné! C'est trois à zéro pour moi!

Tout essoufflée, grand-maman s'assoit sur la première marche

de l'escalier. Elle s'éponge le front, avale sa salive, relève ses manches.

—Ça va, grand-maman?

—Je n'ai plus l'âge de jouer à des jeux pareils...

Je m'assois près d'elle.

—Grand-maman, savez-vous quel est votre problème?

—J'ai un problème, moi?

—Votre problème, c'est que vous n'êtes pas en forme... Vous devriez vous entraîner...

—Mon Dieu Seigneur, soupire-t-elle. Je suis trop vieille...

—Mais non, il faut commencer doucement... très doucement...

—Doucement comment?

—Je ne sais pas... En faisant des choses simples comme de la marche rapide... Venez, nous allons commencer tout de suite.

Avant qu'elle dise NON, je serre sa main dans la mienne et je la tire vers l'avant. Grand-maman se lève, marche et accélère un peu. Après dix pas, elle s'arrête en disant :

—Ouf! Mon cœur... mon pauvre cœur!

Je change de tactique. Nous commençons par faire dix pas rapides et dix pas lents, mais grand-maman est trop essoufflée. Nous faisons huit pas rapides et dix lents, puis six pas rapides, puis quatre pas rapides, puis deux... Grand-maman n'est vraiment pas en forme.

Nous revenons chez nous à la vitesse des escargots. Je demande :

—En combien de secondes pouvez-vous gravir votre escalier?

—Je ne veux même pas le savoir, répond-elle en montant lentement les premières marches. Tu m'as complètement épuisée avec tes histoires de records et d'entraînement.

Lorsqu'elle pose le pied sur son balcon, je lui crie :

—Vous avez monté l'escalier en trente-huit secondes. Demain, vous tenterez de faire mieux!

—Je vais préparer le souper, répond-elle en ouvrant la porte. Viens m'aider!

—J'arrive… Mais, avant, j'ai une toute petite chose à vérifier!

Je regarde ma montre. Lorsque l'aiguille des secondes approche du zéro, je me précipite dans l'escalier. Je m'élance au-dessus des marches comme un oiseau qui prend son envol vers les nuages.

À peine rendue sur la plus haute marche, je jette un coup d'œil à ma montre. Mais je n'ai pas le temps de voir les aiguilles. La semelle usée de mon soulier frappe le balcon. Mon autre semelle, encore plus usée, glisse dans le vide. J'essaie de me retenir à un des poteaux du balcon. Mes mains n'agrippent que du vent. Je n'ai plus d'élan. Je commence à basculer. Je voudrais m'accrocher aux nuages, aux petits oiseaux, au ciel! Je crie :

— AAAAAAAAAAAAH!

Tout mon poids m'entraîne vers l'arrière. Je perds l'équilibre. À moi! Au secours! Je tombe! Je vois toute ma vie défiler à une vitesse folle. Et puis, tout à coup, BANG! Je reçois un choc violent dans le dos. Je fais une culbute arrière sur une marche. Le monde tourne à l'envers, revient à l'endroit et tourne encore à l'envers. Je reçois un coup violent derrière la tête. BANG! J'atterris quatre marches plus bas. Je réussis à m'agripper à la rampe, mais on dirait que mon corps est dix fois plus lourd que d'habitude. Je fais un vol plané au-dessus des premières marches. Je me recroqueville dans les airs. J'atterris sur les fesses, je tombe sur le dos, puis, emportée par mon élan, je fais une culbute arrière sur le trottoir. J'entends crier :

— Attention!

Un livreur m'évite avec son triporteur. Je continue à culbuter et, soudain, CLANG! Une

partie du trottoir devient blanc. Un bout de l'arbre devient blanc. Le soleil devient blanc. Ça y est, je deviens folle, complètement folle. Je m'arrête finalement sur des sacs remplis de déchets. Je reste là quelques secondes, immobile, la tête en bas et les jambes dans les airs. Aoutch! J'ai mal partout. Mes oreilles bourdonnent. Soudain, je sens quelque chose de froid qui coule dans mon cou, sur mon menton, sur le bord de mes lèvres puis sur ma langue. Du lait! C'est du lait! Le contenant de lait a éclaté dans mon sac à dos.

J'essaie de me remettre à l'endroit. Mon dos craque. J'ai mal partout. Je me sens comme un vieux déchet. Lentement, très lentement, je pivote sur le côté. Je fais descendre mes jambes et je pose mes deux pieds sur le trottoir. Le monde se retrouve à l'endroit. Je suis couverte de lait. Soudain, j'entends crier :

—Mon Dieu Seigneur! NOÉMIE!

Je vois grand-maman Lumbago descendre l'escalier en se tenant aux deux rampes. Je ne l'ai jamais vue descendre aussi rapidement. Rendue en bas, elle s'élance vers moi en répétant :

—Noémie, que fais-tu là? Que fais-tu là?

—Je… je suis tombée… du balcon…

Grand-maman se retourne et lève la tête vers le balcon. Elle ne comprend pas comment j'ai pu quitter le balcon et atterrir ici, sur les sacs de déchets. Elle me soulève doucement la tête et me chuchote en tremblant :

—As-tu quelque chose de... de brisé?

—... Je... je... je ne sais pas...

J'ai mal partout. Je peux à peine bouger. Ma tête, mon cou, mes épaules, mon ventre, mes jambes me font souffrir. De grosses larmes coulent sur mes joues.

—J'ai l'impression d'avoir été frappée par un autobus... Pire encore, par un camion rempli de ciment... Pire encore, par un tyrannosaure rex en furie.

Grand-maman se penche et me couvre le visage de baisers :

—Noémie... Noémie... Noémie...

Je murmure :

—Adieu, ma belle grand-maman d'amour. Je vais mourir

avant de pouvoir devenir une championne comme celles que l'on voit dans les films...

Elle répond :

—Adieu, Noémie... J'aurai fait de la lasagne et du gâteau au chocolat pour rien...

Grand-maman me regarde avec ses petits yeux rieurs. Moi, j'essaie de sourire. De peine et de misère, je réussis à me déplacer sur le côté, puis, lentement, très lentement, je parviens à plier une jambe. Je dis :

—J'ai... déboulé... l'escalier...

Grand-maman regarde l'escalier. Pour me faire rire, elle dit :

—Je vais poser du tapis sur chaque marche, puis je vais attacher des oreillers aux rampes et installer de gros coussins de caoutchouc tout en bas.

—Bonne idée, des coussins de caoutchouc aussi moelleux que du gâteau au chocolat.

Soudain, je regarde ma montre. Je crie :

—Ah non! Ce n'est pas vrai!

—Mon Dieu Seigneur! Quoi encore, Noémie?

-4-

Le bain

Le bracelet de ma montre s'est déchiré. La vitre est brisée. Les aiguilles ne tournent plus. Je donne quelques coups sur ma montre et je la colle contre mon oreille. Je n'entends pas le tic-tac habituel. En pleurnichant, j'ouvre un des sacs de déchets et je laisse tomber la montre à l'intérieur. Puis, j'enlève mon sac à dos et j'en sors le contenant de lait. Mes cahiers, mes livres, mes crayons flottent dans le liquide blanc. Grand-maman répète :

—Mon Dieu Seigneur! Mon Dieu Seigneur!

Je vide le surplus de lait sur le bord du trottoir. Je secoue mes livres. Grand-maman ramasse mon sac. Lentement, presque aussi lentement qu'un escargot, je monte chez elle. Je m'accroche aux rampes. Je pose mes pieds à plat sur chaque marche. Je ne veux pas tomber une deuxième fois, même si, pour éviter cela, je devais battre un record de lenteur…

Grand-maman m'ouvre la porte d'entrée. Ça sent le bon gâteau au chocolat et la lasagne, mes deux mets préférés.

Ma grand-mère dépose les cahiers imbibés de lait sur la coiffeuse de la salle de bain. Puis, elle enfonce le bouchon de la baignoire et tourne les poignées du robinet en disant :

—Quand on a mal partout, rien de mieux qu'un bain chaud!

Pendant que l'eau chaude coule à flots, grand-maman fouille dans l'armoire et en sort un sèche-cheveux. Elle le branche et, à ma grande surprise, elle tente de faire sécher mes cahiers en tournant les pages le plus lentement possible.

Pendant qu'elle fronce les sourcils en lisant mes listes de records personnels, j'enlève mes vêtements et je me laisse glisser dans l'eau chaude. J'y ajoute du liquide qui fait des bulles. En quelques secondes, la baignoire devient comme un gros nuage blanc. Tout mon corps se décontracte. Mes os, mes muscles endoloris ne me font plus souffrir. Je flotte dans l'eau. Je deviens légère comme une plume...

En riant comme une petite fille, grand-maman éteint le séchoir à cheveux. Elle s'approche en disant :

—Bon... je crois que, moi aussi, je vais battre un record...

Et, là, je n'en reviens pas. Elle fait quelque chose qu'une grand-mère ne fait jamais. Elle enlève ses souliers, lève une jambe et, tout habillée, elle met un pied dans la baignoire. En souriant, elle trempe son autre pied. Puis, d'un air coquin, elle s'étend dans la baignoire. Je n'en crois pas mes yeux. L'air emprisonné sous sa robe fait comme un gros ballon. Grand-maman lance de l'eau sur le tissu et asperge ses cheveux. L'eau coule sur son front, sur ses joues, sur ses bras.

Elle ressemble à une vieille petite fille. Elle rit en me regardant. Elle soupire et s'abandonne dans les bulles de savon en soupirant :

—Noémie, ne fais pas cette tête-là… Après toutes les émotions que tu viens de me faire vivre, j'ai le droit de relaxer un peu !

Je ne sais pas quoi répondre. Je me tasse sur le côté pour lui laisser de la place. Je lui murmure à l'oreille :

—Est-ce que ça va bien, grand-maman ?

—Tout va très bien, madame la marquise. Tout va très bien, tout va très bien…

—Vous êtes vraiment ma grand-maman Lumbago préférée…

Grand-maman me serre dans ses bras. Nous restons blotties

l'une contre l'autre et nous ne disons rien. Nous écoutons les milliers de petites bulles de savon qui éclatent en crépitant. De temps à autre, lorsque l'eau refroidit, nous ajoutons un peu d'eau chaude en tournant la poignée du robinet avec nos pieds. Le chat grimpe sur la coiffeuse et nous regarde en ronronnant. Dans la cuisine, le petit serin chante à tue-tête. Je voudrais rester ici pour le reste de ma vie. Je voudrais manger, dormir, jouer dans le bain en compagnie de ma belle grand-maman Lumbago d'amour. Je suis certaine que nous sommes en train de battre un record de... de quelque chose...

-5-

Le bonheur

Après le bain, grand-maman et moi, nous enfilons nos robes de chambre et nous nous préparons pour le souper. Je bois deux gorgées de jus. C'est le bonheur double. Je mange trois portions de lasagne. C'est le bonheur triple. Puis, je mange une quadruple portion de gâteau au chocolat. C'est le bonheur quadruple. J'essaie de trouver des moyens pour multiplier mon bonheur par cinq, par dix, par cent, par mille.

Grand-maman me demande :

— Est-ce que ça va, Noémie?

—Oui... Oui... Je crois que je suis en train de battre un record...

—Quelle sorte de record? Tu ne bouges même pas...

—Un... un record de bonheur...

—Impossible, répond-elle.

—Pourquoi, impossible?

—Parce que c'est moi qui détiens présentement le record du bonheur!

—Impossible, c'est moi!

—Non, c'est moi!

—Moi...

—Moi...

Comme il est impossible de savoir laquelle de nous deux est la plus heureuse, nous décidons que nous le sommes autant l'une que l'autre, mais je suis certaine d'être plus heureuse que grand-maman et je suis certaine qu'elle pense l'être plus que moi, mais ce n'est pas grave. Je lui dis :

— Bon, puisque vous êtes ma grand-mère préférée, je vous laisse le record du bonheur!

— Merci, tu es très gentille...

À la fin du repas, grand-maman chantonne en lavant la vaisselle. Moi, pendant ce temps, je la regarde et je réfléchis. Elle se retourne et me demande :

— Pourquoi me regardes-tu comme ça?

— Je suis en train de penser à des moyens pour que vous deveniez une grand-mère championne.

— Mon Dieu Seigneur, ça recommence... Écoute-moi bien, Noémie. Je suis très heureuse comme je suis, et je ne veux pas devenir une championne. Je ne veux battre aucun record et je ne veux pas m'entraîner. Peux-tu m'imaginer dans un gymnase rempli de grands-mères en train de lever des haltères? Ce serait ridicule!

—Non, mais vous pourriez vous mettre en forme en passant l'aspirateur à cent kilomètres à l'heure, en levant des sacs d'épicerie, en vous berçant à une vitesse mirobolante, en tricotant en dixième vitesse, en montant et en descendant l'escalier comme une sprinteuse, en faisant votre ménage ou de longues promenades en vous dandinant comme les marcheurs olympiques, en...

—Et... en buvant mon thé à la vitesse de l'éclair?

—Oui! Bonne idée!

—Moi aussi, j'ai de bonnes idées pour toi, Noémie. Tu pourrais tenter de battre des records en mathématiques et en français, battre des records d'endurance en étudiant tous les soirs et toutes les fins de semaine, battre des records en faisant le ménage de ta chambre, battre des...

—Bon! Grand-maman, si nous allions écouter la télévision, le plus lentement possible... pour éviter de nous fatiguer...

-6-

La télévision

Grand-maman et moi, nous nous installons devant la télévision. Je gagne la course pour trouver la télécommande. Je change les postes à toute vitesse. Soudain, je tombe sur un reportage qui résume l'histoire des championnes olympiques. Nous voyons une sprinteuse qui gagne la course du cent mètres. Une lanceuse du marteau qui établit un nouveau record olympique. Une cycliste qui fait le tour de piste le plus rapide. Et puis, en accéléré, nous voyons les records du cent mètres haies, du quatre cents mètres, du kilomètre…

Grand-maman répète :

—Mon Dieu Seigneur, ce n'est pas possible. Mon Dieu Seigneur, comme elles doivent être essoufflées... Mon Dieu Seigneur, elles devraient se reposer...

Moi, j'ai les yeux rivés sur le téléviseur. Je dévore les images. Mon cœur bat à tout rompre, mes poumons halètent. En regardant la télévision, en voyant les athlètes courir au ralenti, je prends la décision la plus importante de toute ma vie : il me faut des chaussures de sport aérodynamiques comme celles que portent les championnes.

Je suis tellement excitée par la décision que je viens de prendre que je ne peux plus rester en place. Je me tourne vers grand-maman et je lui donne deux cent cinquante bisous sur la joue droite et deux cent quarante-neuf sur la joue gauche. Pendant qu'elle replace ses lunettes, je lui dis :

— Grand-maman, c'est vendredi, aujourd'hui?

— Heu... oui...

— Les boutiques ferment très tard, aujourd'hui?

— Heu... oui...

— Aimeriez-vous faire une petite promenade avec moi?

— Tu n'as plus mal au dos, aux jambes, aux pieds?

— Non, c'est curieux, je n'ai plus mal nulle part!

— Bon, je veux bien faire une petite promenade avec toi. Mais seulement si tu me promets de ne pas me faire courir...

—Je vous le jure. Je ne vous obligerai à rien de rien...

— Merci, tu es bien gentille...

—Surtout... n'oubliez pas votre portefeuille.

-7-

La boutique
de sport

Grand-maman et moi, nous marchons main dans la main dans la rue principale. Sans qu'elle s'en rende compte, nous nous dirigeons vers la boutique d'articles de sport. Je connais une tactique infaillible pour obtenir ce que je veux. En rafale, je lui demande de m'acheter toutes sortes de choses qui ne m'intéressent pas vraiment. Je commence toujours par de petites choses simples. En marchant devant les boutiques, je dis :

—Grand-maman, j'aimerais avoir une bicyclette, une trottinette, une crème glacée, un ballon de soccer, une trousse de maquillage, un marteau, un massage, une auto sport, un voyage en Chine, etc.

Grand-maman me répond toujours la même chose :

—Non, Noémie, tu n'as pas besoin de ceci et de cela... Non, Noémie, c'est beaucoup trop cher... Non, Noémie, tu es trop jeune pour avoir ceci... Non, Noémie, tu es trop vieille pour avoir cela...

Chaque fois qu'elle me dit NON, je soupire, je fais la moue et je fais semblant de souffrir.

Soudain, je m'arrête devant la vitrine de la boutique qui m'intéresse vraiment et je m'exclame :

—Oh! regardez! Il y a un solde incroyable de chaussures! Entrons, juste pour voir...

—Noémie...

—Allez, grand-maman! Vous venez de me dire NON plus de deux cents fois...

J'entraîne grand-maman à l'intérieur de la boutique. Je me précipite vers le vendeur en lui montrant mes vieilles chaussures :

—Monsieur le vendeur! Monsieur le vendeur! Est-il possible de gagner des courses de cent mètres avec des souliers comme les miens?

Le vendeur regarde mes souliers, se gratte le front. Avant qu'il réponde, j'ajoute :

—Monsieur le vendeur, est-il possible de gagner des marathons de quarante kilomètres sur des routes de gravier, sur des routes de ciment, sous une chaleur torride ou sous la pluie en étant chaussée avec de pareilles godasses, toutes vieilles, toutes trouées, toutes défoncées?

Le vendeur regarde mes souliers et répond :

—Je... heu...

—Soyez honnête, monsieur le vendeur! Soyez honnête au moins une fois dans votre vie! Avez-vous déjà rencontré des championnes olympiques qui n'avaient pas de chaussures de course à la dernière mode? Avez-vous déjà vu, à la télévision, des championnes qui couraient avec des souliers aussi ridicules que les miens, des souliers ordinaires qui datent des temps préhistoriques, des souliers qui ne devraient même pas porter le nom de souliers et qui sont juste bons pour la poubelle!

Le vendeur se penche, examine les talons de mes souliers, appuie son pouce pour vérifier la position de mes orteils, vérifie la tension de mes lacets et se relève en disant :

—Bon! Je serai honnête au moins une fois dans ma vie. Ces souliers sont parfaits!

—Quoi? Mes souliers sont parfaits? Quoi? Mais vous ne connaissez rien aux chaussures de sport! Ces souliers me font souffrir chaque fois que je pose un pied par terre! Ils ne soutiennent pas ma cheville! Ils n'ont pas de supports latéraux! Ils n'absorbent pas les chocs! Ils n'ont pas de semelles antidérapantes! Ils n'ont pas de lacets élastiques! Ils ne sont pas ajustables! Ils ne sont pas imperméables! Ils n'ont pas de système de refroidissement! Ils...

—Ils n'ont pas de support antitorsion permettant une meilleure adhérence sur toutes les surfaces? demande grand-maman en lisant, elle aussi, les slogans imprimés sur les grandes affiches collées aux murs.

—Heu...

Elle vient de comprendre ma tactique, mais je ne me décourage pas. Je change de stratégie :

—Ces souliers me font mal aux pieds. Mes orteils sont couverts de contusions, de bleus, d'ampoules, d'ongles incarnés, de cors aux pieds, de...

—Je n'ai jamais remarqué ça! s'exclame grand-maman.

Je prends mon air le plus misérable, celui que j'ai longtemps répété devant la glace, et je dis en soupirant :

—C'est parce que je souffre en silence...

Grand-maman regarde le plafond en répétant :

—Mon Dieu Seigneur... Mon Dieu Seigneur...

Le vendeur se gratte le front en épiant les autres clients, qui s'impatientent, et moi, je fais semblant de souffrir en marchant comme si j'avais terriblement mal aux pieds. Je ne sais plus quoi inventer pour convaincre grand-maman. J'essaie de réfléchir à la vitesse de la lumière, mais je n'ai aucune idée géniale. Mon imagination est tombée... dans mes souliers...

Je tente le tout pour le tout, comme on dit dans les films. Je demande au vendeur :

—Montrez-moi donc l'équipement total et idéal pour une championne qui aurait ma taille, ma grandeur et... ma couleur de cheveux!

Grand-maman s'exclame :

—Noémie... nous devrions...

Je tombe à genoux devant grand-maman. Je lui dis d'un ton suppliant :

—Grand-maman, vous venez de me dire NON plus de dix mille fois. Je vous en prie, ma belle grand-maman d'amour en chocolat trois étages recouverts de guimauve fondante, dites OUI! Juste un petit OUI de rien du tout. Ce sera mon cadeau pour mon prochain anniversaire et pour les dix prochains Noël! Je vous le promets, je serai la fille la plus gentille de la galaxie...

—Et la plus studieuse?

—... Heu...

—Je n'ai pas bien compris la réponse...

—Oui... oui... la plus studieuse...

—Et la plus...

Elle n'a pas le temps de terminer sa phrase. Je m'empresse de répondre :

—Oui... oui...

Grand-maman regarde le plafond, puis elle regarde le vendeur, puis elle me sourit en disant :

—D'accord! Mais...

Je suis si heureuse que je me précipite pour l'embrasser. Grand-maman perd l'équilibre. En riant, nous tombons à la renverse et nous atterrissons sur un amoncellement de sacs de couchage.

Grand-maman rit tellement qu'elle ne peut plus se relever. Le vendeur et moi essayons de l'aider, sans succès. Un grand garçon très sportif et très musclé s'approche, se penche vers grand-maman et la relève d'un

coup sec. Grand-maman replace son chapeau et sa coiffure, époussette sa robe et dit en rosissant :

—Merci, jeune homme! Merci...

Le vendeur replace l'étalage de sacs de couchage, puis demande :

—Donc, vous désirez des chaussures de course?

Grand-maman et moi ne disons rien, mais nous regardons le vendeur en hochant la tête.

—Et donnez-lui aussi tout ce qu'il faut pour qu'elle puisse s'entraîner adéquatement!

Je n'en reviens pas, mes oreilles bourdonnent. Je me blottis contre grand-maman en essayant de ne pas la faire basculer. Le vendeur se précipite dans les allées. Il prend un beau survêtement bleu, une camisole jaune, un short vert fluo, des chaussettes blanches, une casquette orange.

J'entre dans une petite cabine située au fond de la boutique et j'enfile mes nouveaux vêtements. Je me regarde dans la glace et je n'en reviens pas. Je ressemble à une véritable athlète olympique, comme celles que l'on voit à la télévision, et sur les affiches, et dans les publicités, et dans les journaux, et au cinéma, et... à la radio.

Je sors de la cabine. En me voyant, grand-maman s'exclame :

—Oh! que c'est joli!

Le vendeur s'approche avec trois paires de chaussures de différentes grandeurs. Ce sont des chaussures identiques à celles que portent les championnes.

Je m'assois sur une chaise et, pendant que grand-maman regarde les photographies d'athlètes très musclés sur les murs, moi, j'essaie les trois paires de souliers. La première est trop petite. La deuxième, trop grande. Je lace la troisième paire. Je saute sur place. J'ai l'impression de bondir comme un kangourou.

Je cours dans le magasin et je passe à toute vitesse devant grand-maman. Je lui dis :

—Ils sont parfaits! Je les veux! Je les veux!

Pendant que grand-maman se dirige vers la caisse, je lui lance :

—Je ne peux plus attendre! Je vais courir sur le trottoir devant la boutique!

-8-

La course
folle

Je suis tellement excitée que j'ouvre la porte de la boutique et, sans regarder à gauche ni à droite, je saute par-dessus les trois marches qui mènent au trottoir. Pendant que je plane dans les airs, j'entends crier :

—AAAAAAAA... ATTENTION!

Un cycliste, qui arrive à vive allure, bifurque sur le côté, m'évite de justesse et, sans le vouloir, me donne un coup de coude sur l'épaule. Je pivote dans les airs et atterris sur mes beaux souliers, qui me font rebondir comme un ballon, bong... bong... bong...

À chaque bond, je pivote en essayant de retrouver mon équilibre. Je saute sur une jambe, puis sur l'autre. Je traverse le trottoir en tournoyant et en essayant d'éviter les piétons. Finalement, je réussis à m'accrocher au tronc d'un petit arbre et à me stabiliser. Fiou!

Mais je n'ai pas le temps de reprendre mes esprits. Un orage s'abat sur moi. Des milliers de gouttelettes tombent et tombent et tombent. Je ne comprends plus rien. Le ciel est bleu. Le trottoir est complètement sec. Les passants marchent normalement, sans imperméables, et sans parapluies. Ils se promènent avec leurs sacs d'épicerie, leurs enfants, leurs

chiens. Il pleut toujours sur moi, juste sur moi...

Je lève les yeux et je comprends tout. En m'agrippant à l'arbre, j'ai secoué le feuillage. Toute l'eau accumulée sur les feuilles est tombée sur moi.

D'un bond, je quitte les abords de l'arbre. J'ai les cheveux et les épaules tout mouillés. Heureusement, mes beaux souliers sont secs.

Je regarde grand-maman de l'autre côté de la vitrine de la boutique. Elle paie mon équipement, elle parle au vendeur. Pour passer le temps, j'étrenne mes nouveaux souliers. Je cours sur le trottoir. J'ai l'impression de flotter sur un nuage.

Soudain, juste derrière moi, j'entends des halètements. Un peloton d'une douzaine de coureurs s'approche. Les coureurs me dépassent en suant, en reniflant, en grimaçant. Et là, je ne comprends pas ce qui arrive. Mes beaux souliers neufs refusent de se laisser distancer. Ils accélèrent. Ils accélèrent comme de véritables fusées. Ils dépassent le premier coureur du peloton, puis ils s'élancent à toute vitesse. Mes souliers courent, courent, courent comme ce n'est pas possible. Je suis sûrement en train de battre un record olympique. Dans ma tête, j'entends la foule m'applaudir. Soudain, une voix de femme crie :

—AU SECOURS! AU SECOURS!

J'aperçois un voleur qui se sauve avec le sac à main d'une dame. Mon sang ne fait qu'un tour. Dans ma tête, une voix me dit : Noémie, ne te mêle pas de ça! Noémie, tu cours après le danger!

Mais je ne comprends pas ce qui se passe. Mes belles chaussures neuves ne veulent pas m'écouter. Elles accélèèèèèrent, accééélèèèreeent... Sans le vouloir, je fais de grandes enjambées. Je m'approche du voleur. Je m'approche. Je m'approche. Il tourne à la première intersection, se retourne et m'aperçoit. Je lui lance :

—Je porte des chaussures de championne olympique! Tu ne peux pas me distancer! Lâche le sac immédiatement!

Le voleur me regarde en grimaçant. Mes chaussures accélèrent. J'arrive à la hauteur du voleur. Il n'est pas très en forme, il est tout essoufflé. Il sue à grosses gouttes. Je m'empare de la courroie du sac à main et m'y agrippe de toutes mes forces. La courroie se rompt. Le sac s'ouvre, et tout son contenu tombe sur le trottoir. Le voleur lâche le sac, se sauve dans une ruelle, et je me retrouve toute seule avec le sac à main qui pendouille au bout de sa courroie.

Je ramasse ce qui était tombé – rouge à lèvres, monnaie, portefeuille, pince à épiler – et enfouis tout ça dans le sac.

Je reprends mon souffle pendant quelques secondes, puis je décide d'emprunter un raccourci pour revenir à la boutique de sport. Je longe quelques pâtés de maisons et traverse un terrain vague. Mes chaussures en profitent. Elles s'en donnent à cœur joie. Elles me lancent dans les airs, me font bondir par-dessus des ronces, des trous, des détritus.

Soudain, elles accélèrent et me propulsent au-dessus d'une grande, d'une immense flaque d'eau. Mais, oh!, dans les airs, j'essaie de remuer les bras, j'essaie de relever les pieds, j'essaie de me faire toute légère, mais cela ne suffit pas... Je tombe en plein milieu de la grande flaque. Mes pieds s'enfoncent dans la boue. FLOUTCH! Je glisse, tombe sur les fesses et m'étends de tout mon long. Je n'en reviens pas! Je reste quelques secondes complètement immobile, les yeux fermés. Puis, en tentant de me relever, je tombe à plat ventre. La boue coule dans mes cheveux, glisse sur mon front, sur mes joues et jusque sur mes lèvres. POUACH!

Je crache et me relève d'un bond. Je suis couverte de boue de la tête aux pieds. Mes beaux habits neufs sont tout sales, tout mouillés.

J'essaie de lever un pied. SPLOUTCH! Mon soulier gauche reste prisonnier de la boue. Je glisse et tombe sur les genoux. Complètement découragée, je fouille dans la boue avec une main, et finis par trouver mon soulier. De peine et de misère, je marche à quatre pattes et me relève un peu plus loin sur la terre ferme.

De grosses larmes coulent sur mes joues.

Je ne sais plus quoi faire. Je regarde mes beaux vêtements et je reste là, immobile, à pleurer et à m'ennuyer de ma belle grand-maman d'amour qui doit m'attendre à la boutique.

En vitesse, je cherche quelque chose pour me laver. Je ne trouve que des mauvaises herbes et des fougères. Alors, je trempe mes souliers dans une flaque d'eau et j'essaie d'enlever la boue avec une touffe d'herbe. Mes beaux souliers se couvrent de taches vertes! J'essaie d'essuyer les taches sur le tissu de ma camisole, mais je ne réussis qu'à empirer les choses… J'ai l'impression de devenir folle. Mon sang bout dans mes veines. Je ne me contrôle plus. Je suis certaine que ces chaussures sont hantées par quelque chose ou par quelqu'un. Je suis certaine qu'elles portent malheur.

Prise d'une rage soudaine, je prends mes chaussures et les lance le plus loin possible.

Le soulier gauche rebondit sur un tronc d'arbre et revient rouler à mes pieds. L'autre rebondit contre un mur et revient près de moi. Ils ne veulent pas me quitter. Je sais ce qu'il me reste à faire.

-9-

Le voleur

En tenant mes chaussures d'une main et le sac à main de l'autre, j'essaie de quitter le terrain vague en marchant sur mes chaussettes. Le sol est jonché de roches, de ronces, de vieux clous rouillés. Je déchire mes chaussettes. Je m'égratigne la plante des pieds. Je m'assois sur un vieux madrier et j'enfile mes chaussures. Elles sont toutes froides, toutes mouillées.

Complètement découragée, je traverse le terrain vague et me retrouve enfin sur un trottoir. Les passants me regardent

en écarquillant les yeux. Je suis couverte de boue, mes cheveux se collent à mes joues. En baissant les yeux et en pleurant, je me dirige vers la boutique de sport.

Tout en marchant, j'essaie d'enlever la boue sur mes bras, sur le sac à main, sur mes genoux. J'approche de la caisse populaire. Quelques clients y entrent, d'autres en sortent en bavardant. Il me semble que la situation est trop calme pour être vraie.

Soudain, la porte de la caisse populaire s'ouvre d'un coup sec. Un homme vêtu d'un grand manteau et d'un grand chapeau se précipite dehors en levant un index comme s'il voulait imiter la forme d'un revolver. Dans son autre main, il tient fermement la poignée d'une petite valise. Je suis certaine que la valise est remplie de billets de mille dollars qu'il vient juste de voler.

Du coin de l'œil, je vois un taxi qui s'approche et qui freine près du trottoir. C'est le même genre de personnage et le même genre de taxi que l'on voit dans tous les films de voleurs de banque. La porte du taxi s'ouvre. Je n'en crois pas mes yeux. En une fraction de seconde, mes chaussures pleines d'eau m'emportent, me lancent dans les airs et me projettent sur les épaules de l'affreux personnage. Mes jambes couvertes de boue enserrent sa taille. Je lui martèle le dos avec mes poings en hurlant :

—AU SECOURS! AU SE-
COURS! C'EST UN VOLEUR
DE BANQUE!

Le brigand tourne sur lui-
même en essayant d'éviter mes
coups. Son chapeau tombe par
terre. Quelques passants s'approchent. D'autres se sauvent
en courant. Le chauffeur du
taxi sort en vitesse et se précipite vers moi. Il me dit :

— Non, mais, ça ne va pas?

Il essaie de me faire lâcher
prise. Je comprends tout. Le
chauffeur de taxi est le complice du voleur. D'une main, je
fais tournoyer le sac à main;
de l'autre, je m'agrippe au
voleur, qui essaie de se déga-
ger. Je resserre mon étreinte
avec mes jambes et je lui as-
sène plusieurs coups de sac à
main sur le crâne. Il hurle :

—AOUTCH! AOUTCH! AOUTCH!

Moi, je crie :

—AU VOLEUR! À L'ASSAS-SIN! AU CAMBRIOLEUR! CE SONT DEUX COMPLICES! APPELEZ LA POLICE! APPE-LEZ LA POLICE!

Soudain, la porte de la caisse populaire s'ouvre. Le gardien de sécurité se précipite vers nous. En donnant des coups de sac au voleur, je crie :

—Vite! Vite! c'est un voleur de banque et son complice! Sortez votre revolver! Arrêtez-les!

Et là, je ne comprends plus rien. Le gardien essaie de me faire lâcher prise. Un éclair jaillit dans mon cerveau : le gardien est aussi leur complice. C'est un coup classique. Je l'ai vu dans plusieurs films. Mais je ne me laisse pas faire. Je donne des coups de poing, des coups de sac au gardien, au voleur, au complice en criant aux curieux :

—VITE! VITE! APPELEZ LES POLICIERS! CE SONT TROIS COMPLICES!

Le gardien crie :

—Ce n'est pas un voleur! C'est monsieur Lamarre, le directeur des finances!

La porte de la caisse s'ouvre. Plusieurs employés courent vers moi et tentent de me faire lâcher prise. J'entends :

—Pauvre monsieur Lamarre! Qu'est-ce qui lui prend, à cette petite?

Devant la dizaine de spectateurs, je relâche mon étreinte et je me laisse glisser sur le trottoir. En haletant, le directeur s'appuie sur le taxi, relève la tête, défait le nœud de sa cravate et me regarde d'un air furieux. Je baisse les yeux et je murmure :

—Excusez-moi, je vous avais pris pour un voleur!

—Ce ne sont pas les petites filles qui doivent s'occuper des voleurs! répond sèchement le directeur.

Puis, d'un air furieux, le gardien me prend par le bras et me demande :

—Comment t'appelles-tu?

Je n'ai pas le temps de répondre à cette question. Des sirènes retentissent. Deux voitures de police apparaissent au coin de la rue en faisant crisser leurs pneus sur l'asphalte. Deux autres voitures arrivent de l'autre côté et freinent en plein milieu de la rue. Les gyrophares tournent à toute vitesse. Les portes s'ouvrent. Des policiers armés se penchent et se cachent derrière les portières grandes ouvertes. Quelqu'un crie dans un porte-voix :

—LES MAINS EN L'AIR! QUE PERSONNE NE BOUGE!

Tout le monde tremble de peur sur le trottoir. Nous levons nos mains vers le ciel. Le gardien, les bras levés, s'avance et dit :

—Fausse alerte, les gars! Il s'agit d'une méprise.

Puis, il me prend par le bras et m'entraîne vers une voiture de police. Je me retrouve encadrée par deux immenses policiers. Le gardien se penche et me dit :

—J'aimerais que tu leur donnes ta version des faits!

Je me sens tellement ridicule que je fonds en larmes. Je balbutie :

—Excusez-moi... snif... Tout cela est arrivé parce que ma grand-mère m'a acheté des chaussures neuves... snif... qui m'ont fait sauter sur le trottoir... snif... où il a plu sur moi et sur personne d'autre... snif... Les chaussures m'ont emportée dans une course folle... snif... elles m'ont fait rattraper un voleur de sac à main... snif... et elles m'ont conduite jusqu'au terrain abandonné... où je suis tombée dans la boue... snif... J'ai voulu me débarrasser de ces maudits souliers. Mais ils sont revenus tout seuls... snif... Alors, j'ai marché sur mes chaussettes, mais j'avais mal aux pieds... snif... J'ai enfilé mes chaussures... snif... et, en

passant devant la caisse, j'ai pris le directeur pour un voleur qui se sauvait... snif... Mes souliers ont bondi tout seuls pour rattraper le voleur... snif... Il me semble que ce n'est pas difficile à comprendre... snif... snif...

Les deux policiers, le gardien, le directeur, le chauffeur de taxi et tous les curieux me regardent en fronçant les sourcils. Un des deux immenses policiers s'accroupit et me dit :

—Je n'ai absolument rien compris... Calme-toi un peu... Où sont tes parents?

—Ils travaillent... snif... Ils sont débordés... snif... C'est ma grand-maman Lumbago qui me garde...

—Et où est ta grand-mère... Lum...bago? demande le

policier en me tendant un mouchoir de papier.

—Elle m'attend au magasin d'articles de sport... snif...

J'essuie les larmes sur mes joues. Je prends une grande respiration et je dis, le plus clairement possible :

—Je n'ai rien fait de mal! Je ne veux pas aller en prison! Je ne veux pas aller en prison!

-10-

De malheur
en malheur

Pendant que j'essuie mes larmes, le directeur des finances de la caisse regarde son beau complet couvert de boue, puis il s'engouffre dans le taxi en disant :

—Bon, assez perdu de temps! Je dois aller me changer! J'ai un rendez-vous important, moi!

Le taxi démarre et disparaît au coin de la rue. Les curieux et les curieuses se dispersent. Un des policiers me dit :

—Je vais te reconduire chez ta grand-mère. Où habite-t-elle?

Je donne l'adresse et le numéro de téléphone de grand-maman et de mes parents. Puis je suggère :

—Peut-être que ma grand-mère m'attend encore à la boutique...

Le policier ouvre la porte de la voiture. Juste avant que j'y monte, il me regarde et crie :

—Un instant, attends un instant !

Il se précipite à l'arrière de la voiture, ouvre le coffre et en sort une couverture. Il étend la couverture sur la banquette arrière, puis il me dit :

—Tu peux t'asseoir, maintenant.

Je m'assois sur la couverture en essayant de ne pas salir la banquette. La boue commence à sécher sur mes jambes. De petites plaques grises tombent sur le plancher.

Le policier monte à l'avant, fait ronronner le moteur et démarre. Je regarde les maisons défiler. J'ai hâte de prendre un bain chaud, de me laver.

La voiture tourne à gauche, puis à droite et roule dans la rue commerciale. Soudain, mon cœur bondit dans ma poitrine. J'aperçois grand-maman assise sur un banc devant la boutique de sport. Elle porte un survêtement bleu avec des lignes blanches sur les manches et sur le pantalon. Elle porte aussi des chaussures tellement blanches qu'elles semblent lumineuses.

Je crie au policier :

—Arrêtez-vous! Arrêtez-vous! C'est ma grand-mère, là, sur le banc!

—En es-tu certaine? demande le policier.

—Oui, je la reconnaîtrais même si elle était déguisée en hippopotame...

Le policier appuie sur un bouton. Les gyrophares tournent, la sirène hurle. L'auto freine brusquement et fait demi-tour en plein milieu de la rue. Elle s'arrête devant grand-maman, qui sursaute.

J'essaie d'ouvrir la portière. Elle est verrouillée. Le policier sort de la voiture, en fait le tour, s'approche de grand-maman et lui dit quelques mots. Elle fronce les sourcils, se lève d'un bond et s'approche de la voiture avec son survêtement bleu et ses chaussures blanches. Le policier ouvre la porte de la voiture. Je m'élance vers ma grand-mère, qui s'écrie :

—Mon Dieu Seigneur! Noémie! Où étais-tu? Pourquoi es-tu... Qu'est-ce qui.. Qu... Qu...?

—Et vous? Que faites-vous sur ce banc, habillée comme une championne olympique?

Nous ne répondons rien. Nous nous blottissons l'une contre l'autre en fermant les yeux et en nous balançant sur place. J'enfouis ma tête dans ses bras et j'entends son cœur qui bat très fort. Soudain, le policier se racle la gorge et dit :

—Excusez-moi de vous déranger! Désirez-vous que je vous reconduise à la maison?

—Non merci, répond grand-maman. Nous allons rentrer à pied. Nous demeurons tout près d'ici.

Le policier nous salue et disparaît dans sa voiture. Grand-maman et moi, nous nous regardons et disons en même temps :

—Bon, alors? Que s'est-il passé?

—Allez-y la première!

—Non! Vas-y, toi!

—Non, vous!

—Bon, dit grand-maman. Pendant que j'attendais ton retour, le vendeur m'a convaincue d'essayer ce survêtement, qui est aussi doux et confortable qu'un pyjama de flanelle. Puis, il m'a suggéré d'essayer une paire de chaussures dans lesquelles on marche comme sur un nuage. Je me suis sentie tellement bien que j'ai décidé de les acheter. Ensuite, je t'ai attendue devant le magasin en me disant que tu finirais bien par réapparaître! Voilà! Et toi, pourquoi es-tu couverte de boue?

En marchant vers la maison, je raconte :

—Ce n'est pas de ma faute, grand-maman. Ce sont mes chaussures neuves qui m'ont emportée. Elles ont voulu dépasser un peloton de coureurs. Elles ont voulu rattraper un voleur de sac à main. Elles ont voulu sauter par-dessus des flaques de boue. Elles ont voulu attraper un voleur de banque, elles ont...

—Mais voyons donc, Noémie! Ce ne sont pas les souliers qui décident d'aller où ils veulent!

Je tourne la tête pour répondre à grand-maman. Mes souliers ne regardent pas où ils vont. PAF! Je me frappe contre un arbre. Je deviens tout étourdie. Je vois des étoiles et je tombe sur le sol.

Grand-maman m'aide à me relever. À peine arrivée au premier coin de rue, je pose le pied droit sur mon lacet gauche, qui s'est détaché tout seul. PAF! Je perds l'équilibre et je tombe encore une fois sur le trottoir. Là, je suis rendue au bout du rouleau. Je deviens enragée. Je crie :

—Vous voyez bien que ces souliers ne sont pas des souliers ordinaires! Depuis que je les porte, il ne m'arrive que des malheurs!

J'enlève mes souliers l'un après l'autre et je les lance le plus loin possible. Le soulier gauche virevolte dans les airs et, CRAC, il brise la vitrine d'un magasin. L'autre soulier se dirige en ligne droite vers un cycliste. Il aboutit entre les rayons de la roue avant, puis il se coince en se tordant sous la fourche. Le cycliste écarquille les yeux, fait une pirouette et tombe tête première dans un arbuste. Je crie à grand-maman :

—Vous voyez bien ! ces chaussures sont un vrai danger public ! Un véritable cauchemar en plein jour ! Elles ne font que des bêtises ! J'en ai assez ! J'en ai assez !

En répétant «Mon Dieu Seigneur... Mon Dieu Seigneur», grand-maman se précipite vers le cycliste. Elle l'aide à se relever, lui parle, récupère la chaussure, s'excuse. Puis, elle se dirige vers la vitrine brisée, disparaît à l'intérieur du magasin, parlemente avec quelqu'un et revient quelques minutes plus tard avec l'autre soulier en disant :

—Bon, Noémie, assez de folies pour aujourd'hui. On rentre à la maison immédiatement!

J'arrache mes souliers des mains de grand-maman, fais demi-tour et marche sur mes chaussettes en disant :

—Avant de rentrer à la maison, j'ai quelque chose à dire à un vendeur!

—NOÉMIE! NOÉMIE! ASSEZ DE BÊTISES POUR AUJOURD'HUI! REVIENS ICI IMMÉDIATEMENT!

-11-

Retour
à la boutique

Je suis tellement enragée contre mes souliers que je n'obéis pas à grand-maman. Je marche à toute vitesse pendant qu'elle trottine derrière moi avec son survêtement et ses souliers trop blancs.

J'entre dans la boutique de sport et je me dirige vers le vendeur, qui essaie de vendre des chaussures d'entraînement à une belle grande blonde.

Je m'approche de la belle blonde et lui dis :

— Mademoiselle, je vous en prie, n'achetez pas des chaussures comme celles-là. Elles sont hantées! J'ai acheté les miennes il y a à peine une heure et... regardez-moi : je suis couverte de boue et je ne fais que des bêtises qui seraient trop longues à énumérer!

La fille blonde me regarde en haussant les épaules. J'ajoute, pour son plus grand bien :

—Je vous en supplie! Croyez-moi! Si vous achetez ces souliers, il vous arrivera une foule de malheurs. Vous serez obligée de les suivre. Vous tomberez dans la boue! Encore pire : vous vous foulerez une cheville. Encore pire : vous vous casserez une jambe. Encore pire : vous vous ferez frapper par un train. Encore pire : un avion s'écrasera sur vous... Sans compter que vous aurez des rougeurs, des cors aux pieds et plein d'autres choses que vous ne pouvez même pas imaginer!

Le vendeur me prend par les épaules et essaie de me pousser vers la sortie en répétant :

—Bon! Maintenant, ça suffit! Maintenant, ça suffit!

Je ne me laisse pas faire. En me dégageant, je lui réponds :

—En effet, ça suffit! Je ne veux plus de vos souliers! J'exige un remboursement! Immédiatement! Sinon... Sinon... le gardien de la caisse populaire ainsi que deux policiers géants se feront un plaisir de vous jeter en prison!

Grand-maman murmure :

—Mais voyons, Noémie! Calme-toi!

Le vendeur regarde mes chaussures. Il fait un faux

sourire à la belle fille blonde, puis il me dit, avec un vrai sourire qui me fait bondir :

—Je ne peux pas te rembourser ces chaussures, elles sont toutes sales et couvertes de boue!

—QUOI?

—Il est impossible de rembourser ces chaussures parce qu'elles sont sales! répète le vendeur en serrant les dents et en m'ouvrant la porte du magasin.

—Ça ne se passera pas comme ça, monsieur le vendeur de mauvais souliers! Je vais me plaindre à... à tout le monde. Je vais rester plantée devant le magasin et je vais dire que vous vendez des souliers qui ne font faire que des bêtises...

—DEHORS! crie le vendeur. DES BÊTISES, J'EN AI ASSEZ ENTENDU AUJOURD'HUI!!!

Je sors du magasin avec grand-maman et je me retrouve sur le trottoir, toujours en chaussettes. Grand-maman marche jusqu'au banc, s'assoit, me tend mes chaussures et me dit :

—Noémie, mets tes souliers.

—Non...

—Noémie, tu ne peux quand même pas te rendre à la maison en chaussettes...

—Pourquoi pas?

—Parce que c'est ridicule! Je viens de t'acheter de beaux souliers, et tu refuses de les porter.

En grognant, en bougonnant, en grimaçant, en faisant gnnn... gnnn... gnnn..., je prends mes souliers et je les enfile l'un après l'autre. J'attache les lacets et je me lève d'un bond. Grand-maman me regarde, devient rouge comme une tomate et éclate de rire.

—Hi... hi... hi... ho... ho... ho...

Je regarde mes chaussures. J'ai l'impression d'avoir les yeux qui louchent. Mon pied gauche est à droite, et mon pied droit est à gauche. Pendant que grand-maman se moque de moi, je dis :

—Vous voyez! Ces souliers ne me font faire que des bêtises!

Puis, en me relevant, j'ajoute :

—Tant pis pour eux!

—Voyons, Noémie! Tu vas te déformer les orteils! Tu vas te faire des ampoules! Tu vas...

Je me bouche les oreilles. Je n'en peux plus! Je n'en peux plus! Je pars à courir comme

une vraie folle. Soudain, on dirait que mes souliers veulent reprendre leur place habituelle. Le soulier gauche, qui chausse mon pied droit, s'élance vers la gauche. Mon soulier droit, qui chausse mon pied gauche, veut revenir à droite. Mes genoux se frappent, mes pieds se croisent, et je m'étends de tout mon long sur le trottoir. J'en ai assez! J'en ai assez! Je déteste ces souliers! Je voudrais les couper en petits morceaux! Je voudrais les faire disparaître! Je voudrais...

Je me relève et je cours vers la maison pendant que grand-maman crie derrière moi:

—Noémie, attends-moi! Noémie, ne fais pas de bêtises!

-12-

Pour en finir
une fois
pour toutes

Chez moi, je me rends dans la cour arrière, m'agenouille sur le sol et creuse un trou avec mes mains. Puis, en vitesse, j'enlève mes chaussures, les lance au fond du trou et les recouvre de terre. Ensuite, à pieds joints, je saute sur le petit monticule jusqu'à ce qu'il s'aplatisse complètement. Puis, j'arrache des brins d'herbe et les dépose par-dessus. Rien n'y paraît.

Au deuxième étage, la porte du balcon s'ouvre. Grand-maman apparaît, vêtue de son beau survêtement. Elle me regarde et demande :

—Mon Dieu Seigneur, Noémie! Qu'est-ce que tu fais là?

—Rien...

—Où sont tes chaussures?

—Je ne sais pas... je les ai perdues...

—Comment ça, perdues?

Je me rends jusqu'à l'escalier, puis, en montant les marches, je dis :

—Je les ai perdues quelque part... je ne sais pas...

Je n'ai pas le temps de terminer ma phrase. Je suis sauvée par la sonnerie du téléphone. Grand-maman se précipite dans la cuisine, décroche le récepteur et dit :

—Oui... oui... non... non... oui... oui... Elle est ici... Un instant, s'il vous plaît...

Elle me tend le récepteur en haussant les épaules pour me signifier qu'elle ne sait pas qui m'appelle. Je prends le récepteur et dis :

—Oui... allô?

—Bonjour, ma petite, je m'appelle madame Papineau... Je voudrais te remercier d'avoir retrouvé mon sac à main et de l'avoir remis aux policiers.

—Je... heu...

—Pour te remercier, je voudrais te donner un petit cadeau...

—... Heu, quelle sorte de petit cadeau?

—Comme tu sembles courir très rapidement, je voudrais t'offrir une belle paire de chaussures d'entraînement! Tu sais, le genre de chaussures que portent les championnes olympiques!

Là, je l'avoue, je ne sais pas quoi répondre. J'avale ma salive et me racle la gorge en imaginant toutes les bêtises que de telles chaussures me font faire. Je réponds :

—Merci, vous êtes bien gentille de vouloir m'offrir un cadeau, mais... je dois vous avouer une chose... Je... je... je déteste les souliers d'entraînement...

—Ah bon...

—Si vous voulez me donner un cadeau qui me ferait plaisir, j'aimerais...

—Oui, qu'aimerais-tu recevoir?

—J'aimerais recevoir une... une belle... une belle paire de pantoufles!

—Une paire de pantoufles? Ah bon! Quelle sorte de pantoufles?

—Des pantoufles qui n'ont l'air de rien. Des pantoufles toutes molles qui refusent de bouger. Des pantoufles qui ne désirent battre que des records de lenteur, des records d'immobilité, des records de rien du tout et même encore moins que ça, si ça se peut. Des pantoufles absolument inutiles, qui ne désirent qu'une seule chose : avoir une vie plate, morne, monotone. Des pantoufles sans aucune ambition, qui rêvent de se rendre, le plus lentement possible, dans le salon pour regarder la télévision près des pantoufles de leur grand-mère... près de celles du chat et près de celles du serin...

Fin